BRAVO!

_____

est capable de lire ce livre!

Catalogage avant publication de Bibliothèque et Archives Canada

Dean, James, 1957-
[Snow daze. Français]
Jour de neige / James Dean, auteur et illustrateur;
texte français d'Isabelle Montagnier.

(Pat le chat)
Traduction de: Snow daze.
SBN 978-1-4431-6820-5 (couverture souple)

I. Titre. II. Titre: Snow daze. Français. III. Collection: Pat le chat (Éditions Scholastic)

PZ23.D406Jou 2018   j813'.6   C2017-906112-7

Édition publiée par les Éditions Scholastic, 604, rue King Ouest, Toronto (Ontario) M5V 1E1, avec la permission de HarperCollins Publishers.

5 4 3 2 1   Imprimé au Canada   119   18 19 20 21 22

MIXTE
Papier issu de
sources responsables
FSC   FSC® C103113
www.fsc.org

Je lis avec Pat le chat

JOUR DE NEIGE

James Dean
Texte français d'Isabelle Montagnier

SCHOLASTIC

Pat le chat se réveille
et se prépare pour l'école.
Il est prêt pour l'activité
« montre et raconte ».

— L'école est fermée
aujourd'hui, dit sa maman.
C'est un jour de neige.

— Hourra! s'écrie Pat. Allons
glisser!

— Bonne idée, dit Max,
le frère de Pat.

Pat met sa tuque, ses bottes
et ses mitaines.

— Je suis prêt! dit-il.

En chemin, Pat fait
des boules de neige.

Il en lance une à Max
qui lui en renvoie une.

Pat construit un chat de neige.

— Les jours de neige sont beaucoup plus amusants que les jours d'école, déclare-t-il.

Il a hâte d'arriver à la colline.

— Dépêchons-nous! dit-il
à son frère.

Pat salue Katia.

— Viens glisser avec nous, propose-t-il.

Théo et Emma sont en haut
de la colline. Ils semblent
tout petits.

Pat, Max et Katia montent,
montent et montent encore.
Crounch! Crounch! fait
la neige.

— Youhoooou! crient les
cinq amis en descendant à
toute allure.

— J'adore les jours
de neige! dit Pat.

En route vers la maison, Pat
et Max s'arrêtent chez Théo.
Ils boivent un délicieux
chocolat chaud.

— On s'est bien amusés! dit
Pat à sa maman. Je vais raconter
cette journée à ma classe.

Le jour suivant, il neige
encore quand Pat se réveille.
L'école est fermée.
C'est un autre jour de neige!

Pat construit un fort.

Il lance des
boules de neige.

Il construit
un chien
de neige.

Puis il va glisser. C'est amusant et il a hâte d'en parler à son enseignant.

Mais le lendemain,
l'école est encore fermée.

Il y a trop de neige!

Pat et Max arrivent à peine
à ouvrir la porte d'entrée.

— Avant d'aller glisser,
déneigez l'allée s'il vous plaît,
demande leur maman.

Pelleter, ce n'est pas facile.
Quand Pat a fini, il est trop
fatigué pour aller glisser.

Pat s'ennuie de son
enseignant et des autres
élèves de sa classe.

Pat a hâte de retourner
à l'école le lendemain.

Mais quand il se réveille,
il neige toujours.

— Oh non! dit-il. L'école
va encore être fermée!

Pat veut aller à l'école. Alors, il déneige les rues tout seul.

D'autres chats viennent
déblayer la neige. Tout le
monde veut aller à l'école.

Les rues sont dégagées et
sécuritaires. L'autobus peut
passer. L'école est ouverte!

Tous les élèves sont heureux
de revoir leur enseignant. Ils
ont beaucoup de choses à
lui dire.

À son tour, Pat raconte
tout le plaisir qu'il a eu à
jouer dans la neige.

— J'adore les jours de neige,
dit-il. Mais j'aime encore
plus l'école!